Souvenir.-
de ma première -
communion le 17/06/2001

Ma Marraine Jannie

VOUS Y CROYEZ, VOUS, EN DIEU ? ? ?

S O M M A I R E

DIMANCHE. LORSQUE L'ENFANT PARAÎT

LUNDI. CONNAISSANCES DU MONDE : LA SCIENCE ET LA FOI

MARDI. LE BIEN ET LE MAL

MERCREDI. IL ÉTAIT UNE FOIS JÉSUS DE NAZARETH

JEUDI. LE CALENDRIER CHRÉTIEN

VENDREDI. À LA DÉCOUVERTE DE L'ISLAM

SAMEDI. LES JUIFS, FRÈRES AÎNÉS DES CHRÉTIENS

DIMANCHE. LE MONDE DU SILENCE

AUGUSTIN EST CATHO-LIQUE. DAVID, MON VOISIN DE PALIER, PRA-TIQUE SA RELIGION JUIVE AVEC BONHEUR.

R achid, qui avait alors 13 ans, m'a fait découvrir les beautés de la religion musulmane au cours d'un long séjour que j'ai effectué en Algérie, dans les montagnes de Kabylie.

Tous les trois croient au même Dieu, dans des formes et dans des cultures différentes. Beaucoup d'autres, de leur âge et de tout âge, ne croient en rien du tout ou ont abandonné la religion de leur famille.

Qu'est-ce que cela veut dire, croire en Dieu?

Je vous invite à passer une semaine avec mes trois amis. Pour apprendre comment, dans leur vie quotidienne, ils découvrent le monde des hommes du passé et le nouveau monde qui se dessine chaque jour sur l'écran de leur ordinateur. Pour découvrir, à travers leurs joies et leurs peines, comment Dieu est entré dans leur vie et les aide à comprendre ce monde qui les entoure.

Dieu, personne ne peut le voir. Et s'il était, dans la meilleure part de nous-même, une présence cachée, une formidable tendresse qui nous fait croire envers et contre tout au bonheur de vivre ensemble et de nous aimer les uns les autres ? Dieu, tout homme peut l'entendre et l'approcher à travers la Bible, le Coran et l'expérience des croyants. Comme mes trois amis.

Alors, vous y croyez, vous, en Dieu ?

Dimanche

Lorsque l'enfant paraît

LE GRAND JOUR

epuis plus d'une semaine, la maison est sens dessus dessous. Ménage à fond, lessive des grands jours. Maman a couru les magasins pour habiller de neuf la famille. Heureusement, elle a fait quelques bonnes affaires. Au supermarché, le Caddie a débordé plusieurs fois. Il a aussi fallu ranger sa chambre jusque dans les plus petits coins, les livres, les CD, et mettre ses trésors à l'abri.

Enfin, le grand jour est arrivé. Le matin, Augustin a accompagné son père à la gare de la ville voisine, pour aller chercher ses grands-parents. Il faut vraiment que ce soit un jour exceptionnel, car son père l'a autorisé à faire quelques kilomètres en conduite assistée !

À la maison, les amis arrivent de tous les côtés. Le héros du jour dort paisiblement dans son berceau. Sa mère et sa marraine vont bientôt l'habiller d'une robe blanche : curieux vêtement pour un petit garçon, mais c'est la tradition. C'est le baptême d'Olivier.

Malgré cette agitation fébrile, tout le monde est de bonne humeur et s'entasse dans les voitures. Direction l'église paroissiale pour la cérémonie. À la porte, le curé accueille la famille et les amis. Augustin retrouve ses copains et leur présente ses cousins. Tout ce petit monde s'installe aux premiers rangs. L'église se remplit peu à peu, l'orgue joue, puis la chorale lance un chant. La messe commence.

CROIRE EN DIEU, C'EST QUOI ?

 omme beaucoup de garçons et de filles de son âge, qui ont été baptisés et sont allés au catéchisme, Augustin veut bien croire en Dieu, mais n'aime pas trop aller à la messe. Sauf peut-être lors de certaines grandes fêtes, comme Noël, où l'ambiance est chaleureuse et gaie. Il lui est arrivé, comme à beaucoup d'autres, de rester au fond de l'église pour discuter avec ses copains, et parfois même de faire une petite fugue au dehors, pendant le sermon du curé.

Pour Augustin, être chrétien, c'est d'abord ne pas faire de mal à son prochain. Oui, mais croire en Dieu, c'est beaucoup plus que cela. C'est donner un sens à sa vie en apprenant à vivre les uns avec les autres. C'est aller à la découverte de son prochain, qu'il soit black, blanc ou beur. C'est rencontrer l'Amour avec un grand A, et le vivre. C'est positif. Le sens de la vie, de notre vie, se découvre peu à peu, chaque jour, dans nos projets et dans nos rêves. Que ferai-je plus tard? Ce serait un bon exercice de rédaction. Installez-vous confortablement à votre table de travail et décrivez-vous en l'année 2020. Qui êtes-vous? Comment vivez-vous? Est-ce ainsi que vous imaginiez votre avenir quand vous aviez 14 ans? Certains diront oui, d'autres non. La chance ou la malchance aura joué. Faites cet exercice et gardez soigneusement ce petit portrait d'avenir pour plus tard.

Pour l'instant, imaginez que tous ceux qui entourent le petit Olivier pensent à son avenir. Quel homme deviendra-t-il ? La grande fête de son baptême nous invite à porter un autre regard sur lui et sur nous-même, à regarder plus loin et plus haut, à penser que si pour certains la vie ne vaut rien, rien ne vaut une vie. Et qu'elle est un cadeau du ciel.

LA FOI, UN CADEAU

 omme toutes les sociétés, depuis les temps les plus reculés, la nôtre accueille une naissance par une fête, des rites, c'est-à-dire des gestes exceptionnels qui soulignent l'importance de cet événement. Car, si la naissance est un acte qui paraît bien naturel, le mystère du commencement de la vie subsiste. Et si nous savons ce qu'est la vie, nous avons aussi le désir de comprendre pourquoi nous sommes venus au monde.

En suivant la cérémonie du baptême de son petit frère, Augustin comprend d'abord qu'en ce dimanche matin tout le monde est réuni pour accueillir et reconnaître le nouveau-né dans la grande famille humaine des parents, des amis, des voisins et des inconnus. Cette reconnaissance se fait dans la joie.

Une mère passe beaucoup de temps à s'occuper de son bébé, à surveiller sa santé, à lui faire adminis-

trer les vaccins qui le protégeront des maladies. La cérémonie du baptême a pour but de lui donner, en plus, avec le goût de vivre, le goût du bonheur. Sur les difficiles chemins de la vie, Olivier devra faire face, comme nous tous, aux coups durs, au découragement. Le cadeau qui lui est offert, en ce dimanche matin, c'est la foi. Si elle l'accompagne tout au long de sa vie, cette foi lui rappellera que Dieu est toujours là dans les moments difficiles, invisible, proche, plus fort que son cœur. Même si Olivier est un jour désespéré, même s'il n'a plus le cœur à vivre, Dieu est à ses côtés. Dieu l'aime et lui donne la force de lutter quand tout va mal.

Certains pensent qu'on ne vient jamais à bout des difficultés. Ils baissent les bras et disent : « À quoi bon ? » Ils vous diront que les gens qui prétendent croire en Dieu font parfois autant de mal, sinon plus, que ceux qui n'y croient pas. Ils évoquent les guerres religieuses qui déchirent le monde : catholiques contre protestants, juifs contre musulmans, musulmans entre eux, etc. À quoi donc sert la foi, ce cadeau que Dieu nous fait, si elle ne peut empêcher tous ces massacres perpétrés en son nom?

Mais nous ne sommes jamais seuls face à nos interrogations, aussi douloureuses soient-elles. C'est ce qui fait la force de la foi. Si nous avons le désir de lutter, Dieu nous en donne la force. Désormais, sur les chemins de la vie, Olivier ne sera jamais seul. Cette réunion de famille, à l'église où l'on partage le pain et le vin, sources de vie et de fraternité, mais aussi à la maison, où se prépare le repas familial, en est le signe le plus fort.

Voilà ce qui est proposé à tous ceux qui sont réunis ce dimanche matin.

UN JOUR PAS COMME LES AUTRES

À la sortie de la messe, pendant que les cloches sonnent, on croise dans la rue les gens qui font leur marché et qui regardent avec sympathie ce bruyant cortège, où Caméscopes et appareils photo mitraillent à tout-va. C'est dimanche, c'est la fête. Mais même lorsqu'il n'est pas l'occasion de telles réjouissances, le dimanche n'est pas un jour comme les autres.

Au début de l'ère chrétienne, on se réunissait le dimanche pour célébrer la résurrection de Jésus de Nazareth, et l'habitude se prit peu à peu de se reposer et de ne pas travailler ce jour-là, comme les juifs le faisaient depuis des siècles en observant le sabbat. La Bible avait appris aux juifs que

Dieu avait créé le monde en six jours, et qu'il s'était reposé le septième, heureux de sa création. Le sabbat lui était consacré.

C'est aujourd'hui, pour la plupart d'entre nous, un jour de liberté, de fête, l'occasion de se réunir, de participer à des compétitions sportives, de courir les musées. Pour les chrétiens, c'est aussi le jour de la semaine consacré à Dieu, qu'ils retrouvent ensemble en participant à la messe.

Mais le dimanche est parfois un jour sombre. Pour ceux qui s'ennuient, qui sont seuls, qui souffrent. Pour ceux chez qui couvent la colère et la révolte face à l'injustice et à la misère. Pour eux, le Jour du Seigneur n'est qu'un jour comme les autres, peut-être encore plus triste. Certains se demandent ce que veut ce « bon Dieu » dont on leur parle et qui a divisé l'humanité en deux : les privilégiés et les exclus.

Connaître Dieu, le rencontrer, qu'est-ce que cela change quand on n'a que la vie et pas d'espoir, quand vos proches ne trouvent pas de travail, qu'ils n'attendent plus rien, qu'ils ne croient plus en rien ?

Ainsi, les raisons ne seraient-elles pas plus nombreuses de ne pas croire en Dieu que de croire en lui ?

SUR QUI COMPTER ?

Il y a effectivement trop d'injustices. Pendant que les uns font la fête, les autres connaissent des journées, des semaines ou des mois de galère.

Vous-même, vous avez déjà sûrement dû faire face à un échec scolaire, à la trahison d'un ami, à un chagrin d'amour ou à un rêve détruit...

Pour ceux qui connaissent les coups durs, le dimanche est un jour de solitude et d'ennui. Bien sûr, toute la famille rassemblée autour de la table du déjeuner de baptême s'accorde à fêter l'événement comme il convient, mais l'oncle Pierre cherche du travail sans succès depuis plus de deux ans et Frédéric, le meilleur ami d'Augustin, est en échec scolaire... Aujourd'hui, Pierre et Frédéric oublient peut-être de se demander quelle est leur place dans ce monde, mais demain?

Que deviendront ces vies difficiles et contrariées? Dieu n'embauche aucun chômeur et ne garantit pas le succès professionnel ou scolaire dans la vie.

Nous ne devons, dans ce domaine, compter que sur nos forces et espérer un minimum de chance et de solidarité de la part de nos semblables. Pourtant, celle-ci n'est pas toujours au rendez-vous. Croire en Dieu ne nous protège pas des coups durs, du malheur, mais peut nous aider à surmonter notre douleur et notre chagrin. La plus grande aide que peut nous apporter la foi, c'est de nous conserver notre dignité, quoi qu'il arrive, et nous faire prendre conscience que nous avons tous le droit à notre part de bonheur.

À LA DÉCOUVERTE DE DIEU

 histoire des hommes, depuis des milliers d'années, s'est organisée et désorganisée dans le bruit des guerres et de la haine. Les populations ont payé de leur vie le prix de cette folie. Mais les hommes aspirent à la paix. Pour venir en ce monde nous apporter cette paix, Dieu se choisit un père et une mère humains, une famille modeste, et il y paraît sur la paille, sous le nom de Jésus, un jour qu'on appelle Noël. Tous les nouveau-nés du monde lui ressemblent. L'enfant qui vient de naître est la première image de Dieu que nous pouvons connaître, et nous n'avons pas assez de toute notre vie pour le découvrir...

Lundi

Connaissances du Monde :
la science et la foi

LA SCIENCE, UNE NOUVELLE RELIGION ?

arti en retard pour le collège, comme tous les lundis, comme tous les jours, Augustin sent le poids de son sac à dos rempli de livres, qui, comme le dit souvent son professeur de sciences physiques, contiennent des tas de choses à apprendre qui ne serviront plus à rien dans vingt ans. Les années passent vite, les programmes changent tout le temps. Avec Internet, pourra-t-on un jour remplacer la dictature des professeurs et décrocher tranquillement ses diplômes en surfant sur son ordinateur à la maison? Comment le prévoir?

Au siècle dernier, des savants enseignaient qu'un jour on pourrait tout connaître et tout comprendre des mystères de l'Univers et de la vie. Des théories toutes plus séduisantes les unes que les autres ont alors connu un grand succès. Certains savants sont devenus les grands prêtres d'une nouvelle religion : la science.

Mais ce bel édifice s'écroula peu à peu devant les réalités. Il fallut renoncer à tout savoir. Le champ des recherches était bien trop vaste pour l'intelligence humaine, même secondée par des machines.

PEUT-ON TOUT CONNAÎTRE ?

Si la science nous dit de mieux en mieux le comment des choses, elle ne pourra jamais nous dire pourquoi elles existent. Bien sûr, nous en savons chaque jour un peu plus sur la manière dont la vie est apparue sur Terre et s'est développée, mais nous ne savons pas pourquoi. La science tente d'expliquer le monde et d'aider l'homme à mieux vivre, mais c'est la religion qui lui propose de chercher à comprendre pourquoi il vit. Et c'est le cœur, seul, qui décide de la foi. C'est lui qui nous permet d'approcher Dieu. Croire, c'est répondre à l'amour par l'amour. Cet amour qui nous fait exister, grandir et espérer au milieu des hommes. Parce que le but suprême des hommes – qu'ils soient savants ou non –, c'est de parvenir à mieux vivre ensemble. Et cela, aucune science ne l'apprend. Il n'y a pas de science de l'amour, et nous ne pouvons pas vivre sans amour.

Chaque époque de l'histoire a tenté de mieux connaître le monde et de mieux aimer. Ce ne fut pas sans difficulté, car, pendant longtemps, la science a été soumise à la religion. Or ce sont deux domaines radicalement différents. Ils ne peuvent dépendre l'un de l'autre.

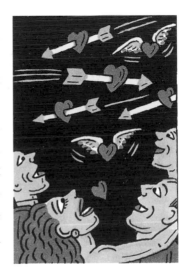

CROIRE OU SAVOIR, FAUT-IL CHOISIR ?

Les contemporains de Jésus de Nazareth, il y a juste deux mille ans, ignoraient totalement que la Terre était ronde et qu'elle tournait autour du Soleil. Ils savaient déjà beaucoup de choses, mais, pour eux, Dieu seul faisait marcher le monde et traçait dans le ciel la route des étoiles.

Ce n'est qu'au XVIe siècle que des savants, Copernic (un Polonais) et Galilée (un Italien), tous deux fort chrétiens, purent démontrer que la Terre tournait autour du Soleil, inaugurant ainsi les sciences modernes. Ils furent condamnés par le pape, car leurs observations étaient contraires aux Écritures, c'est-à-dire à la Bible.

L'Église a mis un certain temps à reconnaître ses erreurs, dont la plus grave était de vouloir imposer la Bible comme un livre de science, où tout était dit, pour toujours.

Depuis, nous n'avons cessé de mieux connaître notre Univers et, pourtant, le croyant et le savant vivent en paix, l'un avec ses convictions, l'autre avec ses connaissances. Ils s'enrichissent mutuellement.

Si le savant pense pouvoir nous dire à peu près comment tout a commencé, le croyant croit pouvoir nous dire pourquoi.

L'ORIGINE DE L'UNIVERS SELON LE SAVANT

En 1965, des savants observèrent comme un bruit de fond dans l'Univers. Ils établirent qu'il s'agissait de l'écho atténué d'une gigantesque explosion, le célèbre big bang, qui nous parvenait, sous la forme d'ondes, à quinze milliards d'années de distance. Cette découverte permit de commencer à comprendre l'histoire de l'Univers où nous nous trouvons, et sa très lente évolution. Dans le même temps se développait l'étude de l'apparition de la vie et de son organisation. Aucun atome de matière, aucune cellule vivante isolée n'est visible à l'œil nu. Et pourtant, nous connaissons assez bien les particules élémentaires et les plus microscopiques des organismes vivants. On sait cependant que beaucoup des mécanismes de notre Univers nous restent incompréhensibles ou impossibles à mesurer. Chaque jour apporte de nouvelles découvertes, grâce notamment aux sondes spatiales lancées dans le ciel, et dont les caméras nous font découvrir de nouvelles et immenses régions. Le savant n'a donc pas fini de d'expliquer l'origine et le fonctionnement de l'Univers.

LA CRÉATION SELON LE CROYANT

N' imaginons pas un seul instant que le croyant, qui nous a donné dans la Bible un récit de la Création, n'avait aucune connaissance scientifique. Comme nous, mais sans aucun instrument, il observait la course des astres dans le ciel, avec une précision surprenante. En mathématiques, il savait résoudre des équations complexes, sur lesquelles beaucoup d'entre vous sèchent aujourd'hui. Il s'était fait une idée tout à fait honorable de la marche de l'Univers. Sous le ciel très clair de l'Orient, la nuit, il regardait les planètes et les étoiles et décrivait leur course.

Mais, pour nous raconter le commencement du commencement, il puisa son inspiration très loin de ses observations de la nuit et choisit, là où aujourd'hui nous bâtissons des théories, d'écrire un poème en sept actes, un pour chaque jour de la semaine.

Il décrit un Univers informe et sans but où règne le désordre : le mot hébreu nous est resté, c'est le « tohu-bohu ». Et voilà que Dieu, qui pour notre écrivain-poète existe de toute éternité, commence à intervenir pour organiser sa création. Il crée d'abord la lumière, sinon, comment voir ce qu'Il a fait? C'est le premier jour. Le deuxième jour, Il sépare le ciel et la Terre. Le troisième jour, Il fait émerger les continents des océans et fait pousser la végétation. Le quatrième jour, Il crée la Lune et le Soleil et règle le mouvement des jours et des nuits. Le cinquième jour, Dieu peuple la Terre, les animaux de toutes espèces y pullulent. Alors, le sixième jour, Dieu crée l'homme, mâle et femelle, et lui offre toute sa Création.

L'espèce humaine est façonnée avec de la terre, à laquelle Dieu insuffle l'haleine de la vie qui n'appartient qu'à lui seul. C'est pourquoi le poète nous dit que l'homme a été créé à l'image de Dieu. Notre corps n'est-il pas composé de tous les éléments qu'on trouve sur Terre, n'est-il pas animé par ce très mystérieux souffle de vie qui naît et qui meurt, qui vient et qui s'en va?

Ici s'arrête le poème de la Création du monde. Le septième jour, le Jour du Seigneur, Dieu se repose.

Ainsi, bien que nous puissions regarder notre monde sous deux angles, celui de la science ou celui de la foi, nous n'avons qu'un seul regard. C'est depuis que nous avons compris que la science n'était pas soumise à la religion – et inversement – que notre regard a gagné en profondeur.

Mardi

Le Bien et le Mal

LE MAL COURT

 a semaine dernière, un mardi matin, la police a débarqué au collège. Augustin, tout comme ses camarades, n'a pas eu besoin qu'on lui fasse un dessin pour comprendre ce qui se passait. Depuis le début de l'année, à la sortie des cours, sur le trottoir d'en face, des garçons de son âge proposaient de l'herbe pour un prix raisonnable. Certains d'entre eux étaient des amateurs, qui faisaient un essai ou deux. D'autres étaient des accros, vite à court d'argent. Ainsi, pour assurer sa consommation, Adrien a proposé d'en vendre à l'intérieur du collège, en s'assurant un petit bénéfice. Dès lors, les clients d'Adrien ont commencé à fumer dans la cour de récréation et dans les toilettes. L'un d'eux s'est fait prendre. Son père est président de l'association des parents d'élèves et député. Un beau scandale ! Adrien a été dénoncé, et, ce fameux matin, il a dû traverser la cour de récréation entre deux gendarmes, sous le regard gêné de ses camarades. Cela pour l'exemple, a dit le proviseur aux élèves.

Quel exemple ? La plupart des élèves pensent que ce n'est pas un crime de fumer un pétard de temps en temps… Encore faut-il savoir s'arrêter. Ce n'est pas toujours possible, et alors le drame commence.

L'ENGRENAGE DE LA VIOLENCE

Mais, se demande Augustin, pourquoi Adrien? Pourquoi lui et pas un autre? Plusieurs de ses camarades ont refusé de devenir dealers, d'autres le sont…

Chacun use de sa liberté comme il le veut, ou comme il le peut. Il suffit d'un rien pour basculer du mauvais côté de la barrière et se faire prendre. D'où nous vient cette fragilité? Qu'est-ce qui nous pousse à mal faire, comme on dit? On commence par accomplir de petits méfaits, puis, une fois le doigt pris dans l'engrenage, on ne sait plus jusqu'où ça peut aller.

La violence physique est partout dans le monde, l'homme est un loup pour l'homme. La violence est économique également. Chaque jour voit un peu plus de vies détruites, de gens sans travail, de misère, par la faute de criminels déguisés en hommes d'État ou de grands patrons courant après l'argent.

Pourquoi? Le philosophe Jean-Jacques Rousseau, au XVIIIe siècle, disait : « L'homme naît bon, c'est la société qui le corrompt. » Il est vrai que l'environnement dans lequel on vit a beaucoup d'importance, que dans certains milieux se développent surtout des aptitudes à la délinquance, à la récidive et à la vengeance. Personne n'est parfait, même pas le saint, qui, selon un proverbe, « pèche sept fois par jour ».

CHOISIR CE QU'ON DEVIENT

 ais l'homme naît libre. La vie lui offre une multitude d'occasions de choisir ce qu'il veut ou ce qu'il peut faire, en bien ou en mal. Les adultes sont impliqués pour une grande part dans le choix des enfants. En grandissant, l'adolescent s'émancipe et devient responsable de lui-même. Il suit les recommandations qu'on a pu lui faire ou se révolte contre elles, pour le meilleur ou pour le pire.

Il en va ainsi pour l'individu, la famille et la société où l'on vit. Vous savez bien que nulle part ce n'est le paradis sur Terre. Le mal est là, depuis toujours et pour toujours. L'homme cessera-t-il un jour d'être un tueur?

L'ORIGINE DU MAL

La Bible nous propose une explication de l'origine du mal, qui, lorsqu'on la lit correctement, est d'une grande utilité. Les bonnes histoires valent souvent beaucoup mieux que les théories savantes. En tout cas, elles sont plus faciles à comprendre.

Vous avez entendu parler du péché originel. Bien entendu, ce n'est pas une histoire vraie, mais ce qu'elle raconte nous concerne tous.

Adam et Ève n'étaient pas nos premiers parents, les découvertes scientifiques sur l'origine de l'homme nous l'ont appris depuis longtemps. Ce sont des personnages mis en scène par les Anciens pour répondre à une question qui se posait et qui se pose encore : d'où vient le mal?

Adam et Ève vivaient libres et heureux dans un vaste domaine enchanté, quelque part en Orient. Au milieu du jardin se trouvait l'arbre de la connaissance de ce qui est bon et de ce qui est mauvais. Dieu avait recommandé à Adam et Ève de ne pas manger du fruit de cet arbre. Le serpent, le

plus rusé et le plus perfide des animaux, expliqua à Ève que s'ils mangeaient de ce fruit ils deviendraient comme des dieux, connaissant ce qui est bon et ce qui est mauvais. Naturellement, ils en mangèrent. Alors, « leurs yeux s'ouvrirent, et ils découvrirent qu'ils étaient nus ».

NOUS NE SOMMES PAS MAÎTRES DU BIEN ET DU MAL

Que de savantes sottises n'a-t-on pas écrites sur ce passage de la Bible ! C'est une image : ils découvrirent simplement, fort déçus, qu'ils n'étaient pas devenus des dieux et qu'ils n'étaient que de fragiles êtres humains. On ne devient pas Dieu comme cela... Ils sont effrayés, comme nous le sommes aujourd'hui quand nous découvrons que nous avons fait fausse route. Ils se cachent, c'est humain. Qui n'a jamais connu cette désillusion de n'être pas un dieu ? Ce qui nous est expliqué, dans ce récit, c'est que toutes les réalités humaines comportent une part de bien et une de mal dès lors que l'homme use de sa liberté comme il l'entend. Il est évident que l'humanité n'est pas condamnée à perpétuité pour payer la faute d'Adam et Ève. Ce qu'ils ont fait, nous le faisons. Reconnaissons, à notre tour, que nous ne sommes pas des dieux, que nous ne sommes maîtres ni du bien, ni du mal, ni de la vie.

LA MORT, UNE MALÉDICTION ?

Pour en revenir à Adam et Ève, le Créateur respecta leur choix. Il leur permit de vivre librement, comme ils l'avaient imaginé, et de cultiver la terre comme ils l'entendaient. Leur désillusion fut rapide et totale. Cependant, Dieu leur indiqua qu'un terme serait mis à la misère et au malheur qu'ils s'étaient inventés : à leur mort, ils pourraient revenir auprès de lui. « Car tu es poussière, et à la poussière tu retourneras. »

Si l'histoire s'arrêtait là, la mort serait en effet un châtiment suprême, un saut vers l'inconnu, le néant. Mais la Bible nous raconte que Dieu ne cesse pas d'accompagner l'homme dans ses choix, tout au long de son histoire, et de l'aider à lutter contre le mal s'il le veut bien. En Égypte, ne libère-t-Il pas les Hébreux de l'esclavage ? Il redonne sans cesse aux hommes, malgré leurs infidélités répétées, une chance de renouveau. À tout homme qui reconnaît son erreur, sa faute, Il propose la réconciliation. Et Il lui donnera la plus grande preuve d'amour en envoyant sur Terre son fils, Jésus-Christ, qui prendra sur lui toute la condition humaine. Dans la mort, l'homme revient ainsi définitivement auprès de Dieu son père. Dieu a fait de la mort le commencement d'une vie nouvelle. Jésus-Christ est ressuscité, comme nous le serons tous, mais nous n'avons pas trop de toute notre vie pour réaliser ce qui nous attend et ce qui nous est promis. La misère, la souffrance et la mort demeurent.

DIEU EST-IL SOURD ?

Le drame de la résignation est, douloureusement, proche de nous. Trop de jeunes choisissent le suicide, la défaite.

Le suicide est souvent un appel au secours, pour ceux qui se sentent trop seuls, incompris, abandonnés, blessés. La révolte est naturelle. Elle est souvent nécessaire. Descendre dans la rue pour réclamer des professeurs et des conditions de travail normales, c'est indispensable! Mais il est des révoltes qui, comme une rivière en crue, débordent et inondent tout le paysage. Il est des manifestations qui dérapent, des excès de violence incontrôlés. Un coup de gueule, ça va, des coups de matraque, il faut savoir qu'on peut en recevoir plus qu'on n'en a donnés! Il est un cri de révolte que chacun de nous porte au fond de lui-même, et qu'il se doit d'exprimer, devant la souffrance inutile ou face au malheur innocent. On ne peut qu'être saisi d'horreur en

découvrant un enfant martyrisé, des familles entières égorgées, des peuples exterminés au nom de la purification ethnique.

Ce n'est pas parce que les assassins ou les bourreaux sont des hommes que nous ne pouvons pas, que nous ne devons pas reprocher à Dieu de les laisser faire dans un silence assourdissant. D'autant plus que certains criminels, depuis toujours, tuent en son nom, et que l'Église elle-même a envoyé beaucoup d'hommes, de femmes et d'enfants au bûcher…

Il est, sur ce sujet, des explications, des réponses, qu'on voudrait n'avoir jamais entendues. Comment admettre aujourd'hui que la souffrance est une punition du ciel, le juste châtiment de la méchanceté humaine ? Pourquoi alors s'acharne-t-elle sur des innocents et sur des enfants ? Dieu est-il bon, est-il amour, oui ou non ?

L'INACCEPTABLE

On peut admettre le sacrifice des héros et des martyrs, qui n'hésitent pas à donner leur vie pour une juste cause, pour la liberté, pour les droits de l'homme. Mais l'inacceptable demeure... «Je hurle vers Toi, et Tu ne me réponds pas.» C'est un personnage de la Bible qui prononce ces mots : Job, riche propriétaire et père comblé, a tout perdu en quelques heures, les siens et ses biens. Modèle de tous les exclus, et ce d'autant plus qu'il est tombé de très haut, le voilà réduit à la misère totale, abandonné de tous, malade, jeté sur un fumier où il gratte ses ulcères.

C'est un homme intelligent. Il cherche la sagesse introuvable par laquelle Dieu aurait fixé les choses de toute éternité. Il ne comprend pas. Elle est hors de portée de l'homme. Il découvre avec terreur qu'on « ne la découvre pas sur la Terre des vivants ». Que Dieu parle, enfin!

Et Dieu répond : « Où étais-tu quand je faisais le monde? » Il lui explique sa passion et son amour des hommes. Il parle de sa création : Il l'a confiée à l'homme et l'homme l'a dénaturée. Dieu connaît les limites du mal, et lui seul peut l'arrêter comme il commande à la mer et aux vents. L'homme, seul, n'en a pas le pouvoir. Et Job reconnaît qu'il ne peut pas s'en sortir seul. Il accepte la main tendue de Dieu, même s'il ne comprend pas pourquoi les choses ont tourné de manière tragique pour lui, même s'il ne sait pas si elles pourront un jour aller mieux. Et Dieu lui rend la santé, une famille et des biens.

UN MYSTÈRE  **N**ous savons que Dieu est allé plus loin encore. À son tour il a accepté l'inacceptable pour lui-même. Il a supporté le sacrifice de son fils unique, qui, comme tous les hommes, lui a crié d'une voix forte : « Pourquoi m'as-tu abandonné? » Depuis ce jour, pour les chrétiens, il n'y a plus d'explication de la souffrance inutile. Demeure un mystère incompréhensible, une espérance. Celle-là même vécue par Jésus-Christ, dans la vie et dans la mort.

Car il y a la mort. Il est, selon les lois de la nature, dans la logique des êtres vivants de se reproduire, de transmettre la vie, l'évolution, et, à terme, la mort. Nous pouvons accepter qu'un homme s'éteigne chez lui, entouré de la tendresse des siens. Mais il y a tant d'autres morts, révoltantes, incompréhensibles! Comment supporter certaines séparations brutales, injustes? Celles de ce camarade de classe emporté par la maladie en quelques semaines, de ce voisin qui s'est tué à moto, de celles et ceux que nous avons vus à la télévision, déchiquetés dans un attentat, de ce père ou de cette mère qui disparaissent au moment où leurs enfants ont le plus besoin d'eux?

C'est impossible en effet. Si beaucoup d'entre nous acceptent l'idée de leur propre mort, nous refusons celle de ceux que nous aimons. L'impuissance, la peur, le chagrin nous envahissent naturellement devant la mort. La blessure qu'elle laisse en nous ne se referme jamais tout à fait.

UNE FORCE NOUVELLE

ependant, la mort d'un être aimé peut libérer en nous des énergies qui nous aident à surmonter cette épreuve. Beaucoup de gens dans la peine, croyants ou non, le découvrent. Tout se passe comme si celui ou celle qui meurt nous laissait un message. Autour du disparu, les proches se rassemblent et peuvent trouver, au milieu des larmes, des étreintes ou des sourires courageux, une tendresse et une solidarité nouvelles. Au moment de mourir, bien trop jeune, l'un de mes neveux, atteint de leucémie, prit dans ses mains celles de son père et celles de sa mère et les serra tendrement. Ce geste, qui vaut bien plus que tous les mots, restera gravé à jamais dans ma mémoire. Celui qui meurt laisse toujours derrière lui un peu d'amour à partager entre ceux qui l'accompagnent à sa dernière demeure. Après lui, nous ne serons plus jamais les mêmes.

Voici peut-être, dans le mystère douloureux et le choc d'une disparition, le secret qui nous est livré. La mort nous rapproche les uns des autres et nous propose, comme un défi, d'autres modes de communication. Nous ne nous reverrons plus, sauf en rêve, mais nous pouvons nous rencontrer ailleurs et autrement que dans nos corps et par nos sens. L'amour est plus fort que la mort. La mémoire et le deuil ne nous ont séparés que pour être mieux ensemble, au-delà des apparences.

VOIR AVEC LE CŒUR

Ceux qui ont perdu un ami ou un parent proche vous diront toujours : « Où sont-ils? Ne croyez-vous pas que le souvenir, que l'amour qu'on entretient pour eux dans notre cœur, est à sens unique? » « On ne voit bien qu'avec le cœur. L'essentiel est invisible pour les yeux », disait le renard à son ami le Petit Prince… Pour Dieu, d'abord, le temps ne fait rien à l'affaire. « Mille ans sont comme un jour », le prix d'une vie ne se mesure pas au nombre des années, mais seulement à l'amour reçu et donné. En quelques mois, en quelques années, un enfant peut en recevoir et en donner beaucoup.

Notre cœur reste le premier et le plus chaleureux séjour pour nos morts. La foi nous promet que nous retrouverons ceux-ci « étonnés d'être aussi joyeux ». Mais ce passage sur l'autre rive est aussi mystérieux que celui de la naissance de l'enfant, qui sort du ventre de sa mère pour venir en ce monde.

La mort est une autre naissance, une forme de vie inimaginable. Pourquoi? Parce qu'il existe une alternative à la violence des hommes. C'est la violence de l'amour de Dieu, qui jamais ne détruit ce qu'Il a créé et qui tient sa promesse : après notre mort, nous devenons ses compagnons d'éternité.

Mercredi

Il était une fois
Jésus de Nazareth

SUR LES TRACES DE JÉSUS-CHRIST

Pour son anniversaire, les parents d'Augustin lui ont offert une semaine de vacances à Paris, avec ses cousins. Ensemble, ils décident d'aller visiter le Louvre. À l'intérieur du musée, la plupart des visiteurs se dirigent vers les nouvelles salles consacrées aux antiquités égyptiennes. Ce qu'on y découvre, ce sont les humbles souvenirs de la vie quotidienne des paysans, au bord du Nil, il y a quatre mille ans : des outils qui racontent les travaux des champs, des peintures représentant les moissons… On se familiarise ensuite avec les pharaons, leurs statues et leurs momies arrachées aux sables du désert, leurs sarcophages ornés de peintures évoquant leur vie et le long voyage qu'ils ont entrepris vers l'éternité. Pour les accompagner dans cet ultime voyage, leur famille a placé dans le tombeau les objets familiers du défunt : du mobilier, des bijoux, de la nourriture.

Dans tous les musées du monde, on peut ainsi déchiffrer les souvenirs d'hommes et de femmes illustres, mais aussi de petites gens anonymes. Mais, dans aucun musée, on ne trouve de portrait de Jésus de Nazareth exécuté de son vivant, et encore moins d'objets lui ayant appartenu. Il faut attendre plus de deux siècles pour que des artistes commencent à esquisser son image. Il en existe désormais des centaines de milliers. Elles sont toutes imaginaires.

Aucun historien sérieux ne conteste plus aujourd'hui l'existence de Jésus de Nazareth. Mais quel était donc cet homme qui ne figure dans aucun des documents traditionnels avec lesquels s'écrit l'Histoire?

QUI NOUS LE FAIT CONNAÎTRE ?

es livres qui nous parlent de lui ont été écrits un demi-siècle après son passage sur Terre, au milieu des hommes de son peuple, les juifs de Palestine, il y a deux mille ans environ. L'ensemble de ces témoignages compose le Nouveau Testament.

Il s'agit tout d'abord des quatre Évangiles. Le premier est attribué à Matthieu, qui fut l'un des disciples de Jésus et avait directement suivi son enseignement. Le deuxième est dû à Marc, qui était le secrétaire et l'ami de Pierre, l'un des apôtres. Luc était un médecin juif de culture grecque et un historien. Il s'efforça de recueillir les témoignages des apôtres et de la famille de Jésus pour composer son Évangile. Jean est l'auteur du quatrième : cousin et ami de Jésus, il dicta son message à sa communauté chrétienne. Les Évangiles sont donc les mémoires des apôtres de Jésus, qui, lui-même, n'a rien écrit. Ils forment les quatre premiers livres du Nouveau Testament.

Dans un autre livre, *Les Actes des Apôtres*, Luc raconte la naissance du christianisme à Jérusalem, puis dans l'Empire romain.

Enfin, les Épîtres nous transmettent également un témoignage sur la vie de Jésus : ce sont les lettres que les apôtres ont envoyées aux communautés de chrétiens.

QUI ÉTAIT-IL ?

Jésus était juif. Il parlait l'araméen, la langue courante en Palestine à cette époque, lisait l'hébreu et commentait les textes de la Loi. Ces textes, écrits en araméen par des prophètes et des sages de son peuple, sont connus sous le nom d'Ancien Testament. Jésus est sans doute né en Palestine, dans la province de Galilée, quelques années avant notre ère. Son enfance ne nous est connue que par des récits édifiants, qui ont été beaucoup romancés par la suite. C'est le sort de toutes les enfances de héros ! Tout ce que nous savons de lui s'est passé autour de 28-30. Après avoir quitté Nazareth, en Galilée, il parcourt la Palestine jusqu'à Jérusalem. Il est accompagné d'un groupe de disciples, les douze apôtres, mais aussi, au gré des rencontres et des circonstances, d'hommes et de femmes qui le suivent pour entendre sa parole. Jésus est chaleureux avec les exclus et miséricordieux avec les pécheurs. Il manifeste des talents de guérisseur, mais également d'orateur : il est capable de subjuguer un auditoire ou de s'attirer les foudres des autorités religieuses juives, alors divisées en sectes jamais d'accord entre elles.

UN MESSAGE D'AMOUR

La Palestine, à l'époque, est occupée par les Romains. Leur gouverneur, Ponce Pilate, est redouté pour sa cruauté. Certains juifs pactisent avec l'occupant, adoptent ses coutumes et sa langue. D'autres défendent farouchement les traditions juives. Mais Jésus s'intéresse plus à la vie quotidienne des gens qu'il rencontre qu'à leurs idées. Il n'a aucune considération pour le débat politique et les élites de son temps. Il se réjouit avec les gens simples et s'efforce de soulager la détresse physique et morale de ceux qui souffrent. Il est venu changer le cœur de l'homme, lui apprendre à vivre autrement, sans se résigner au mal qu'on fait ou qu'on subit.

L'amour est, dit-il, plus fort que la violence, l'injustice, la maladie et la mort. C'est pourquoi il s'attache aux plus malheureux, guérit les malades et ressuscite son ami Lazare.

Ce message n'est guère dans l'air de son temps... ni du nôtre. Mais Jésus s'en moque et va de l'avant.

Il se comporte d'ailleurs d'une façon étrange avec les forces de la nature : il guérit les incurables, ressuscite les morts, commande à la tempête de s'arrêter, marche sur les eaux, multiplie les pains et les poissons, et ressuscite à son tour! Comme si, pour lui, le temps et l'espace n'existaient pas. C'est ainsi qu'il nous montre, par ces gestes très forts, que la foi peut déplacer les montagnes, qu'elle ne craint pas la mort.

JÉSUS, UN INSOUMIS ?

 e message rencontre un succès mitigé. Souvent, l'enthousiasme des foules s'émousse. La plupart de ces hommes attendent de Jésus qu'il soit le Messie annoncé, celui qui restaurera la royauté d'Israël et renverra les Romains chez eux. Beaucoup l'abandonnent. Ses ennemis le trouvent dangereux. Il prend des libertés intolérables avec la Loi de Moïse. Il fréquente les exclus, les pécheurs publics, se lie d'amitié avec une prostituée, agresse les banquiers du Temple à coups de fouet. Il reproche en effet à ces derniers d'exercer malhonnêtement leur métier dans la Maison de Dieu. Pis encore, il ridiculise en public les notables. Faites ce qu'ils vous disent, ne faites pas ce qu'ils font, dit-il. La seule loi, c'est l'amour.

Et il ajoute, ce qui est inconcevable dans le climat de répression et de persécution que vivent les juifs : « Aimez vos ennemis, priez pour vos persécuteurs. » En outre, cet insoumis va tôt ou tard attirer sur lui l'attention des Romains, et les représailles ne tarderont pas. Pourquoi ce rebelle se permet-il de tourner le dos à l'ordre établi ?

Jésus va accepter de se livrer à ses ennemis. Et il meurt sur la croix, entre deux malfaiteurs, ses derniers compagnons. Il est seul, bafoué, abandonné de tous.

LA PROMESSE FAITE AUX HOMMES

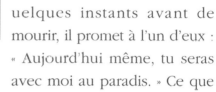

uelques instants avant de mourir, il promet à l'un d'eux : « Aujourd'hui même, tu seras avec moi au paradis. » Ce que nous devons comprendre ainsi : à l'instant même de la mort, celui qui s'en va ressuscite. Une vie nouvelle commence aussitôt, que nous ne pouvons pas imaginer. Cette image merveilleuse du ciel ou du paradis nous est restée pour tenter d'expliquer où vont ceux qui quittent ce monde. Il ne s'agit évidemment pas d'un lieu géographique… Une autre forme de présence et de vie commence, qu'on ne peut percevoir avec le corps et les sens, mais seulement avec le cœur. En quittant le monde, Jésus dit à ses amis : « Et voilà que moi je suis avec vous tous les jours jusqu'à la fin des âges. » Ses amis se retrouvent tout d'abord désemparés par sa disparition. Jésus leur a demandé de faire connaître jusqu'aux extrémités de la Terre ce message qu'il leur laisse et qui n'est écrit que dans leur mémoire. Eux qui ne sont jamais sortis de Palestine, qui les écoutera, qui les croira ?

L'ESPRIT DE JÉSUS

Pendant quarante jours, ils vivent terrés quelque part dans Jérusalem, dans la peur de subir son sort. Où sont la force et la présence que Jésus leur a promises? Et puis, le matin de la grande fête juive des moissons, qui s'appelle Pentecôte, cette force, cette présence, ils la ressentent soudain, tous ensemble. Ils voient, ils comprennent, ils croient : l'Esprit de Jésus est en eux. Ils parlent tous à la fois, s'embrassent et sortent de leur cache. Ils tombent sur la foule venue de toutes les régions de l'Empire, très nombreuse en ce jour de grand pèlerinage. Ils essaient alors de partager leur joie avec les pèlerins rassemblés. Leur chef, Pierre, obtient le silence et annonce à ces derniers l'incroyable nouvelle de la Résurrection de Jésus. Ce jour-là, trois mille juifs les

entendent et demandent le baptême. Ensuite, ce grand rassemblement spontané s'organise. Ils prient ensemble, réunis dans leur maison ou au Temple. Ils partagent le pain, mettent leurs biens en commun, écoutent sans se lasser les apôtres leur parler du maître. Pour désigner leur jeune communauté, ils prendront plus tard le nom d'Église, qui traduit un mot grec désignant le rassemblement du peuple devant Dieu, sur l'ordre de ses chefs.

QUI SONT LES APÔTRES ?

Qui sont ces chefs? Ils étaient douze et ne sont plus que onze : l'un d'eux, Judas, s'est donné la mort après avoir livré Jésus aux autorités juives. Par calcul? Pour de l'argent? Par imprudence? On ne le saura jamais. Judas, le traître, Jésus l'aima comme les autres, jusqu'à la fin. Nous ne pouvons que croire qu'il lui a pardonné. Il fut remplacé par un certain Matthias, tiré au sort parmi les disciples, et ainsi promu au rang d'apôtre.

Jésus avait rencontré et appelé à le suivre sur les routes de Galilée ces douze hommes. Nous avons très peu d'indications sur leur vie personnelle. On ne les connaît que par quelques-unes de leurs interventions dans les Évangiles. À l'exception de Jean, qui mourut de vieillesse, ils sont tous morts martyrs dans des régions différentes de l'Empire où les avait conduits leur mission. Nous ne savons où, quand et comment que par les légendes.

Matthieu était le seul d'entre eux à savoir lire et écrire. Ils étaient pour la plupart des travailleurs manuels, des pêcheurs. Les Évangiles racontent, avec un certain humour, que Jésus eut bien du mal à faire entrer quelque chose dans ces têtes dures.
Jacques et Jude étaient très attachés aux traditions familiales. Matthieu était un fonctionnaire consciencieux de l'occupant romain : il était percepteur, donc considéré comme pécheur public. L'accord avec les autres a dû être difficile! Simon était le guérillero de la bande : il se révoltait contre l'occupant romain. Philippe et André étaient des modernes : ils portaient des noms grecs et parlaient leur langue. Or les juifs voyaient d'un mauvais œil ceux qui adoptaient la culture grecque. Pierre et Thomas étaient des hommes du peuple, spontanés, souvent gaffeurs, mais doués d'un solide bon sens. Jacques, dit le Majeur, Jean, son frère, et Nathanaël sont des idéalistes, capables d'audace, mais aussi de violence… Les deux premiers sont cousins de Jésus par leur mère.

L'ÉQUIPE GAGNANTE

t voilà l'équipe gagnante. Mais les apôtres seront aussitôt, en raison du succès inattendu de leur prédication, condamnés au silence et à l'exclusion par les autorités religieuses de Jérusalem, qui, pendant un demi-siècle, vont les persécuter, eux et leurs fidèles, les condamner à mort ou à l'exil.

Le plus acharné de leurs ennemis sera appelé à devenir un précieux renfort, le plus ardent et le plus généreux des apôtres, un véritable athlète de la foi accordée au Christ. Saül, un juif originaire de Tarse et de formation grecque – d'où son second prénom de Paul –, avait été à l'école du plus grand rabbin de son temps, Gamaliel. Il s'était engagé dans les milices juives qui pourchassaient les chrétiens et organisaient des procès et des exécutions publiques. Vers l'an 33, il se rendait dans ce but à Damas, en Syrie, lorsque, sur la route, il fut jeté à bas de son cheval et terrassé par une force inconnue. Il entendit une voix qui lui disait : « Je suis Jésus que tu persécutes. » Il se convertit aussitôt. Il eut du mal à convaincre les premiers chrétiens qu'il rencontra…

Dix ans plus tard, il entreprit une série de voyages dans les villes d'Asie Mineure et de Grèce. Il y fonda des communautés auxquelles il écrivit des lettres que nous appelons Épîtres. Ce sont les premiers documents écrits qui exposent la vie et le message de Jésus. Ils nous donnent des renseignements inestimables sur la vie des premiers chrétiens. Après concertation avec les douze apôtres, il fit reconnaître le droit à tout homme de devenir chrétien sans être préalablement juif. C'est à cette époque que le surnom de chrétien commença à désigner les adeptes de cette religion nouvelle, pour laquelle juifs, païens et Romains partageaient le même mépris.

Après de nombreuses épreuves, il devait à son tour payer de sa vie son engagement.

Quand les juifs de Jérusalem, révoltés contre Rome en 70, furent exterminés par l'occupant, les Romains s'attachèrent à persécuter les chrétiens. Ces derniers étaient coupables de n'adorer qu'un seul Dieu et de refuser de rendre à l'empereur le culte exigé. Pendant trois siècles, les chrétiens furent ainsi les parias de l'Empire.

LE PARCOURS DU COMBATTANT

La naissance du christianisme n'a pas été un long fleuve tranquille. Aujourd'hui encore, dans certaines régions du monde – en Afrique, en Amérique latine, en ex-Yougoslavie, hier en Russie et dans les pays de l'Est –, des hommes et des femmes paient leur foi de leur vie. Les faux dieux renaissent sans cesse. Dieu de l'argent, sectes et marchands d'illusions pullulent. La foi est combattue, méprisée, ignorée ou dénoncée pour ses excès, car on sait bien que les chrétiens ne sont pas plus parfaits que les autres. Jeanne d'Arc, à son procès, n'a-t-elle pas lancé à ses juges religieux : « Les gens d'Église ne sont pas l'Église. »

LA FOI, UN IDÉAL

Car la foi demeure un idéal proposé aux hommes. L'Évangile offre une manière de vivre, c'est-à-dire une morale, qui consiste à se relever chaque fois qu'on trébuche, à ne jamais rester à terre et à aider les autres à se relever, sans les juger. Toutes les sociétés ont des règles de vie, des lois qui s'efforcent d'assurer la paix et le bien-être de tous, ou du moins tentent de le faire. Jésus, héritier de la tradition juive exprimée dans la Bible, propose un idéal plus élevé : « Aimez-vous les uns les autres. » Lui-même, sévère avec le mal et le péché, n'a que des paroles de tendresse et de paix pour les pécheurs. Cette morale de l'amour est proposée à tous... Jésus n'a-t-il pas dit : « Les aveugles voient, les boiteux marchent, les sourds entendent »? Il signifiait ainsi qu'aucun handicap de l'existence n'empêche d'aimer.

Jeudi

Le calendrier chrétien

LE CALENDRIER

omme chaque année, un peu avant Noël, le facteur est venu à la maison proposer le calendrier des Postes. Augustin l'a accroché dans la cuisine. Toute la famille y marque les fêtes et les anniversaires à souhaiter, mais aussi les vacances, qui sont liées, pour la plupart, à des fêtes chrétiennes.

C'est le christianisme, en effet, qui a repris et imposé à l'Empire romain la tradition ancienne de la division de la semaine en sept jours et de l'année en cinquante-deux semaines. C'est également lui qui a fixé les jours de fête. Progressivement, les chrétiens se sont mis à célébrer un saint chaque jour, ce qui nous vaut à tous un jour de fête personnel dans l'année!

NOËL

oël est sans aucun doute la fête la plus attendue de l'année. Est-ce encore une fête chrétienne? Pour beaucoup, elle ne représente guère plus qu'un excellent repas de famille et un échange de cadeaux. Cependant, la tradition s'est conservée de décorer un sapin et d'installer une crèche en cette occasion. Mais quels sont l'origine et le sens de cette grande fête?

Très tôt, les premiers chrétiens prirent l'habitude de commémorer les grands événements de la vie de Jésus. Comme nous, ils ignoraient sa date de naissance et décidèrent, en tout cas en Orient, de la fêter le 6 janvier.

Au IVe siècle, on choisit le 25 décembre pour plusieurs raisons. D'abord, parce que dans tout l'Empire romain c'était l'époque des fêtes saturnales, au cours desquelles on échangeait des cadeaux. Ces jours-là, esclaves et maîtres étaient sur un pied d'égalité. Ils célébraient la remontée du Soleil sur l'horizon : à partir de cette période, en effet, les jours rallongent jusqu'au printemps. Les chrétiens virent dans le Soleil qui commence à remonter à l'horizon le symbole du Christ vainqueur de la mort. L'heure de minuit fut choisie aussi symboliquement, car c'est l'instant où naît un jour nouveau. Noël vient d'un mot latin qui signifie naissance.

En 1223, en Italie, saint François d'Assise eut l'idée de construire une crèche pour mieux faire comprendre aux fidèles les conditions misérables de la naissance de Jésus. Les personnages de la crèche étaient ceux qui assistèrent à la naissance de Jésus selon les Évangiles. Mais l'âne et le bœuf, ainsi que le nom des Rois mages, Melchior, Balthazar et Gaspard,

appartiennent à des légendes chrétiennes apparues bien plus tard. Dans certaines régions de France, en Provence en particulier, dans les crèches figure aussi toute la population du village, venue faire la connaissance de Jésus avec les bergers et les mages. Nos grands-parents associaient à cette grande fête leurs soucis et leurs joies de la vie quotidienne.

Et le sapin de Noël? C'est une tradition tout à fait chrétienne, oubliée puis redécouverte au siècle dernier. Le sapin est l'arbre toujours vert, qui symbolise la permanence de la vie pendant l'hiver. C'est aussi l'arbre de vie du paradis terrestre.

En revanche, le père Noël est cher aux publicitaires, qui l'exploitent après l'avoir inventé de toutes pièces.

Il est une autre coutume sympathique, venue des pays du Nord. C'est celle des calendriers de l'Avent, pourvus de petites fenêtres décorées qu'on ouvre chaque jour et qui nous rapprochent de Noël.

La bûche de Noël rappelle le feu que le maître de maison alimentait autrefois, juste avant que la famille parte dans le froid pour la messe de minuit. Ainsi, la chaleur les accueillait au retour.

L'ÉPIPHANIE

Le premier dimanche de janvier, c'est le jour de l'Épiphanie. Cette fête commémore, depuis le IIe siècle, l'annonce du message de Jésus à tous les peuples de la Terre. La diversité des nations est représentée par les Rois mages de l'Évangile, tous trois de nationalité et de couleur différentes.

La galette des Rois est l'heureuse survivance d'une coutume romaine. Pendant les Saturnales, à l'aide de fèves noires et d'une fève blanche, un roi était tiré au sort parmi les esclaves ou les prisonniers. Il présidait les fêtes, qui, souvent, s'achevaient en ces fameuses orgies romaines…

Détail amusant : la Révolution française transforma la fête des Rois en fête des « sans-culottes », au cours de laquelle était partagé le gâteau de l'égalité!

PÂQUES

Toutes les civilisations fêtent le retour du printemps. C'est l'époque de l'année choisie par Dieu pour ressusciter son fils, Jésus. Nous le savons par les Évangiles, qui nous racontent son procès et sa mort.

Chaque année, la date en est fixée au premier dimanche de la nouvelle lune suivant l'équinoxe de printemps. Pâques peut donc se situer entre le 22 mars et le 25 avril.

C'est la fête centrale du christianisme. Elle est précédée par le carême, un temps de préparation de quarante jours institué par l'Église dès le IIIe siècle.

La carême commence le mercredi des Cendres. Ce jour-là, on trace un signe de croix avec de la cendre sur le front des chrétiens pour les inviter à préparer leur cœur et leur corps à cette grande fête.

La veille du carême, on célèbre le carnaval. Les sociétés ont toujours eu des fêtes durant lesquelles, pour un temps, presque toutes les excentricités étaient permises. Le mot de carnaval vient du latin et signifie « adieu à la chair ». Pendant quarante jours, en effet, il était interdit de manger de la viande. Clément Marot, poète de la Renaissance turbulent et noceur, et d'autres comme lui furent jetés en prison pour avoir mangé du lard pendant le carême !

Aujourd'hui, les chrétiens ont plus ou moins perdu cette habitude. L'Église leur propose plutôt, pendant cette période, de partager avec les plus pauvres un peu de leurs richesses, chacun selon son cœur.

Les fêtes de Pâques durent sept jours et commencent le dimanche des Rameaux. Ce jour commémore l'entrée de Jésus dans Jérusalem. Il y fut accueilli comme le Messie par la foule qui vint à sa rencontre en agitant des branches de palmier.

En France, les chrétiens cueillent et bénissent du buis, arbuste toujours vert et symbole d'éternité.

Jésus accomplissait la promesse d'un prophète juif annonçant l'arrivée du Messie. Mais les foules, et les apôtres avec elles, étaient loin d'avoir compris que le Messie ne venait pas en conquérant politique, mais pour souffrir : par sa souffrance, pardonner les péchés des hommes et, par sa mort, vaincre la mort et ressusciter.

C'est ce que l'Église invite à méditer pendant toute la semaine sainte. Le Jeudi saint commémore le dernier repas de Jésus avec ses disciples. Au cours de ce repas, il n'a cessé de leur répéter à quel point il les aimait, et à travers eux tous les hommes. Il leur a demandé de se mettre en toutes circonstances au service de leur prochain. Il leur a appris le partage du pain et du vin, signe de communion.

Le Vendredi saint, les chrétiens relisent et méditent la passion du Christ, c'est-à-dire son procès bâclé, puis les humiliations et les sévices qu'il a subis avant d'être crucifié et de mourir. C'est un temps fort de recueillement et d'espérance.

Devant les églises, au commencement de la nuit du samedi, on allume un feu nouveau et le cierge pascal qui rappellera toute l'année le retour de Jésus ressuscité parmi les siens, qu'il réchauffe et éclaire de sa présence.

Mais il est aussi deux coutumes de Pâques que vous aimez bien, à juste titre, et qui ont une importante signification. En signe de deuil, depuis longtemps, on ne sonnait plus les cloches des églises du jeudi au dimanche de Pâques. Dans la tradition populaire, le bruit courut alors que les cloches s'en allaient à Rome pour être bénites par le pape. Elles revenaient remplies de friandises qu'elles déposaient pour les enfants, dans les jardins. Dans l'Europe du Nord et en Alsace, ce sont des lièvres qui se chargent d'apporter les cadeaux : ce sont des animaux très rapides, considérés pour cette raison comme de précieux messagers entre les hommes et l'autre monde.

Et les œufs? Symbole du monde, de fécondité, de promesse de vie et d'éternité, dans l'Antiquité l'œuf était offert au printemps pour célébrer le retour de la vie. Aujourd'hui, cette heureuse tradition demeure. Peint, dessiné ou en chocolat, l'œuf est toujours un beau symbole de résurrection, pour la plus grande satisfaction de nos estomacs.

L'ASCENSION

 es Actes des Apôtres nous racontent que Jésus, après sa Résurrection, vit ses disciples pendant quarante jours.

Il les réunit une dernière fois à Jérusalem avant de monter aux cieux auprès de son Père. Bien entendu, c'est une image. Pour les Anciens, le ciel était le lieu de résidence de Dieu. Depuis le IVe siècle, les chrétiens célèbrent cette fête, qui a lieu un jeudi, quarante jours après Pâques.

LA PENTECÔTE

 ix jours après Pâques, c'est la fête de la Pentecôte. Elle commémore la naissance de l'Église, quelques dizaines de jours après la mort de Jésus.

L'ASSOMPTION

i chaque jour de l'année est placé sous la protection d'un saint, plusieurs sont consacrés à une personne dont nous savons peu de chose de la vie discrète, humble et fidèle. Il s'agit de Marie, la mère de Jésus.

Les Évangiles nous rapportent comment elle a accepté de concevoir et de mettre au monde un fils, Jésus, qui sera le Messie d'Israël et de toutes les nations de la Terre. Pour bien montrer qu'il est le fils de Dieu, Marie accepte qu'il ne naisse pas de l'amour humain, qui est un amour de chair, mais de l'amour de Dieu. Elle choisit de faire confiance à l'impossible aux yeux des hommes.

Le secret, qu'elle a partagé avec Joseph, son mari devant les hommes, elle l'a transmis aux générations à venir en le racontant à Luc. Les auteurs des Évangiles, grâce à elle, ont compris que Jésus était bien le fils du Dieu unique, qui ne pouvait naître, comme tous les faux dieux, les idoles et les héros de la mythologie, des amours peu recommandables et douteuses entre humains et demi-dieux.

Marie paraît peu dans les Évangiles, pendant la mission de Jésus. Elle est invitée avec lui à des noces dans le petit village de Cana. Elle est souvent mêlée, ici ou là, à la foule qui suit son fils. Elle est au pied de la croix.

Pour dire la douleur d'une mère qui voit mourir son fils supplicié, condamné injustement, il n'y a de mots dans aucune langue. Marie sera proche des premiers chrétiens, et de l'apôtre Jean en particulier. C'est pourquoi la tradition la fait vivre à ses côtés à Éphèse, en Asie Mineure. Comment a-t-elle quitté ce monde? Nous ne le savons pas. Mais, très tôt, les chrétiens ont cru qu'elle n'avait pas connu la mort comme tout le monde, qu'elle s'était endormie et avait aussitôt rejoint son fils par le chemin de la résurrection, intacte dans son corps, vierge dans la vie et vierge de la mort qui lui a été épargnée.

Le 15 août les chrétiens célèbrent la fête de l'Assomption, c'est-à-dire l'enlèvement miraculeux de la Sainte Vierge au ciel par les anges.

Marie, mère si effacée de son vivant, est entrée dans la légende. C'est sans aucun doute le personnage le plus représenté de toute l'histoire de la peinture. La mère idéale et parfaite, la mère de tous les hommes, connaît depuis deux mille ans la tendresse de tous les croyants, dont elle fut la première, et à qui elle a donné son fils.

LA TOUSSAINT

es fêtes de l'automne sont consacrées à tous les saints et à nos morts. Depuis plus de mille ans, le 1er novembre, l'usage s'est répandu de célébrer la mort, c'est-à-dire la naissance au ciel, de tous ceux qui avaient consacré leur vie à l'Évangile : les martyrs, les sages, les humbles et les pauvres, tous les champions du Christ dont les générations gardaient le souvenir de leur amour fou de Dieu et des hommes. C'est la fête des saints, la Toussaint.

Le lendemain, le 2 novembre, on y associe tous nos morts. On se rend au cimetière en fleurissant les tombes de chrysanthèmes. La plupart des gens se rendent au cimetière le jour de la Toussaint, qui est un jour férié.

UNE FÊTE PAS COMME LES AUTRES : HALLOWEEN

a date de la Toussaint rappelle des dévotions et des rites populaires très anciens, longtemps oubliés et qui, depuis peu, reviennent au goût du jour. Le 31 octobre, en effet, c'est la fête d'Halloween. Halloween est un mot celte ancien qui signifie « veille de la fête de tous les saints ».

Si l'exploitation commerciale de ces réjouissances nous vient des États-Unis, l'origine de cette fête a des racines bien européennes, et il n'est pas inutile de rappeler comment on la célébrait encore en Bretagne au début du siècle.

Jadis, l'année commençait le 1er novembre, à la fin des récoltes et des vendanges. La nuit précédente, les morts pouvaient rencontrer les vivants. Pour éviter le pire et conjurer la peur, les pauvres, les vagabonds et les chiffonniers allaient, cette nuit-là, de maison en maison en chantant pour réveiller les gens et leur demander de l'argent et de la nourriture. Tous ces dons faits aux pauvres étaient, en réalité, destinés aux morts pour le repos de leur âme. Ils devaient surtout assurer la paix des vivants, qui ne souhaitaient guère être dérangés !

On pensait ainsi que les plus pauvres, les enfants, les fous et les poètes, grâce à la pureté de leur cœur et à leur innocence, pouvaient servir d'intermédiaires entre les vivants et les morts.

Pour voir la nuit, les mendiants s'éclairaient de lampions creusés dans de simples navets, qui servaient à abriter la flamme du vent. Les Américains en ont fait des citrouilles grimaçantes, destinées à effrayer les avares et à faire rire les enfants.

Aujourd'hui, les commerçants encouragent le succès d'Halloween chez nous, même si le sens sacré originel de cette fête bretonne s'est perdu en traversant l'Atlantique.

Désormais, vous savez que les jours se suivent et ne se ressemblent pas. Les fêtes nous aident à consacrer un temps suffisant à la joie de vivre et à l'évocation du passé. N'est-ce pas Dieu qui, le premier, a inventé la fête en se reposant et en se réjouissant le septième jour de sa Création ?

Vendredi

À la découverte de l'islam

LA RELIGION DE RACHID

 partir d'aujourd'hui et pendant un mois entier, Rachid ne déjeunera pas à la cantine du collège avec Augustin. À 13 ans, il est considéré comme un adulte par les siens et, pour la première fois de sa vie, il fait le ramadan. C'est-à-dire qu'il doit observer le jeûne et ne prendre aucune nourriture, aucune boisson, du lever au coucher du soleil. Une fois le soleil couché, il pourra prendre un bon casse-croûte, en attendant le copieux et joyeux repas familial qui se poursuivra à la maison, tard dans la soirée. Rachid est musulman, et sa religion s'appelle l'islam.

Par le nombre de ses croyants, français et immigrés, l'islam est la deuxième religion pratiquée en France. Contrairement à beaucoup d'adultes qui n'ont pas la chance d'avoir un ami musulman, Augustin sait que son copain Rachid ne ressemble pas, mais alors pas du tout, à ces fanatiques qu'on voit à la télévision, à ceux qui massacrent au nom de Dieu, aux terroristes qui ont posé des bombes dans le métro de Paris. Rachid lui-même en souffre d'ailleurs, comme si cela ne suffisait pas qu'on se moque souvent de lui, qu'on l'insulte en le traitant de « bronzé ». Il sait qu'il y a également des terroristes catholiques et protestants en Irlande, juifs en Israël. Les guerres religieuses sont les plus absurdes de toutes.

IL ÉTAIT UNE FOIS MAHOMET

Rachid connaît le véritable visage de l'islam, une belle religion qui commence dans l'histoire des hommes comme un conte oriental… Il était une fois, à La Mecque, une ville qui se situe aujourd'hui en Arabie saoudite, un pauvre marchand qui mourut, hélas, quelques mois avant la naissance de son fils Mahomet, en 570. La mère de Mahomet mourut également alors qu'il n'avait que 6 ans. Élevé par son grand-père, puis par son oncle, il devint berger, puis conducteur de caravanes. Il fit un heureux mariage avec une riche veuve plus âgée que lui, qui lui donna deux fils et quatre filles. Il s'établit alors comme marchand à La Mecque. Il quittait souvent la ville où régnaient la violence, la corruption et l'idolâtrie pour se retirer dans le désert proche et méditer.

LA RÉVÉLATION DE MAHOMET

C'est là qu'il eut une révélation. L'ange Gabriel le persuada de réformer la religion pervertie de ses contemporains. Ville commerçante, La Mecque voyait passer des caravanes venues d'un peu partout. Chacun pratiquait sa religion. C'est ainsi que Mahomet rencontrait chaque jour des juifs et des chrétiens, qu'il prit connaissance de la Bible et du rôle de Gabriel, messager de Dieu. Dans ses écrits et dans son enseignement, il dit toute son admiration pour les prophètes d'Israël et pour leur idéal. C'est à Jérusalem, ville sainte pour les juifs et les chrétiens, qu'il fit une mystérieuse expérience spirituelle : il décida de créer une religion nouvelle, dans laquelle il voulait rassembler juifs et chrétiens. Dans son entourage, on crut aussitôt en lui. Mais les autres lui refusèrent le droit de parler au nom d'Allah (mot arabe qui désigne Dieu) et les persécutions commencèrent. C'est à cette époque que Mahomet aurait fait un mystérieux voyage jusqu'à Jérusalem, une nuit, à travers les airs. Accompagné de l'ange Gabriel, le messager de Dieu dans la Bible, il prie avec Abraham, Moïse et Jésus sur l'emplacement du Temple. Ensuite, porté par l'ange, il aurait traversé sept ciels avant de se trouver en présence de Dieu et de revenir par les mêmes chemins à La Mecque.

LA RUPTURE

 C' est alors qu'il décida de rompre avec ses contemporains qui refusaient d'entendre la Parole de Dieu que lui interprétait Gabriel, c'est-à-dire l'appel à la conversion et au respect des cinq devoirs de l'islam. Il quitta la ville le 6 juillet 622 de notre ère. Ce départ reçut le nom d'*hégire*. Cette date est considérée comme le point de départ de l'islam.

Mahomet partit donc pour Médine. Il y fonda une nouvelle communauté de croyants et en devint le chef. Ensemble, ils se firent combattants de la foi. Après avoir fait la guerre puis la paix avec ses ennemis d'autrefois, Mahomet envoya des missionnaires dans toute l'Arabie. Plus tard, il reprit La Mecque, les armes à la main. Il mourut en 632 à Médine.

Un siècle plus tard, l'islam, grâce au zèle conquérant de ses disciples, était répandu de l'Arabie à l'Espagne et jusqu'aux confins de l'Inde. Les musulmans sont aujourd'hui plusieurs centaines de millions dans le monde. Le souvenir de Mahomet est particulièrement attaché à trois villes saintes : La Mecque, Médine et Jérusalem, où deux mosquées rappellent son voyage vers Allah en compagnie de l'ange et des prophètes de la Bible.

LE CORAN

ange Gabriel lui révéla par étapes successives la Parole de Dieu, par l'intermédiaire de rêves ou d'illuminations intérieures.

Mahomet la transmit à ses disciples, qui l'apprenaient par cœur ou la notaient sur des morceaux de parchemin ou de cuir, des tablettes de pierre, des branches de palmier et même sur des os de chameau !

Quelques générations après sa mort, ces textes furent rassemblés par des disciples en 114 chapitres, appelés *sourates*. Ils forment le Coran, mot arabe qui signifie « La Récitation », et qui est le livre sacré de l'islam.

Le Coran fait intervenir vingt-huit prophètes de la Bible. Il parle aussi de Jésus avec un profond respect. Il y est considéré comme l'un des plus grands prophètes, mais il n'est pas reconnu comme fils de Dieu, puisque Allah est unique.

LES « CINQ PILIERS » DE L'ISLAM

 L' islam impose cinq devoirs fondamentaux dans la vie d'un musulman. On les appelle les « cinq piliers » de l'islam.

La profession de foi. « Il n'y a pas de dieu autre qu'Allah, et Mahomet est le messager d'Allah. » Elle doit être dite et répétée à haute voix, avec la plus sincère conviction.

La prière. Cinq fois par jour, où qu'il se trouve, quelle que soit son occupation, un musulman doit se tourner en direction de La Mecque et réciter ses prières, extraites du Coran ou improvisées. Il accompagne ses prières de gestes, car le musulman prie Dieu avec son cœur, mais aussi avec son corps. Mais le lieu privilégié de la prière reste la mosquée (mot qui signifie « lieu de prosternation »). Les musulmans s'y rendent traditionnellement le vendredi, jour de repos hebdomadaire dans les pays à dominante islamique.

Le rituel consiste à passer d'abord au hammam (les bains) ou à se purifier aux fontaines disposées à cet effet dans les mosquées. Les musulmans se parfument, mettent leurs plus beaux habits et se rendent ensuite à la mosquée. Avant de pénétrer dans ce sanctuaire, en signe de respect, ils ôtent leurs chaussures.

À midi, après l'appel à la prière lancé du minaret par le muezzin (un fonctionnaire religieux) à tous les habitants du quartier, le service commence. L'imam, chef de la communauté musulmane, dirige la prière. Il prononce deux sermons, l'un assez long, l'autre plus court. Puis tous se mettent en rangs pour la prière, épaule contre épaule, et prient avec des gestes : debout dans un premier temps, puis courbés et enfin prosternés.

Le jeûne constitue le troisième devoir de l'islam : c'est le ramadan, au cours duquel les musulmans ne prennent aucune nourriture, de l'aube au crépuscule.

L'époque du ramadan varie en fonction du calendrier lunaire adopté par les musulmans. Il peut avoir lieu en été comme en hiver. Cette période de jeûne a pour but d'inviter à donner aux plus pauvres ce dont on accepte de se priver, et de le partager avec eux.

À la fin du ramadan a lieu une grande fête. Tôt le matin, les musulmans se préparent en chantant. Ils distribuent des aumônes, se rendent à la mosquée puis dans les cimetières pour saluer les défunts. Pendant toute la journée, ils se rendent visite les uns les autres. Les femmes ont préparé des gâteaux. Il y a du thé à la menthe en abondance.

Obligation est faite aux musulmans de consacrer régulièrement une part de leurs revenus aux pauvres. L'aumône est considérée comme un prêt volontaire accordé à Dieu, qui ne manquera pas de remercier le fidèle qui l'a faite lorsqu'il le jugera utile. La dernière prescription de l'islam est le pèlerinage à La Mecque, ville dans laquelle Mahomet vécut. Tout musulman doit l'accomplir au moins une fois dans sa vie, en hommage au Prophète.

QUELQUES COUTUMES...

 l existe d'autres coutumes et obligations dans la religion musulmane, qui ne sont pas les plus importantes mais dont on parle beaucoup, la plupart du temps sans les connaître vraiment. Si le Coran ne l'impose pas, la circoncision est cependant pratiquée sur les garçons, soit à la naissance, soit entre la sixième et la huitième

année. Elle est l'occasion, tout comme le baptême chez les chrétiens, de réjouissances familiales.

Boire de l'alcool, jouer de l'argent et manger du porc sont des actes formellement interdits par le Coran. L'animal de boucherie, comme dans le judaïsme, doit être abattu selon des règles bien précises.

LE PORT DU VOILE

 lus importante, et on en a beaucoup trop parlé ces dernières années, est la question du voile des femmes. Le port du voile, que vous connaissez sous le nom iranien de tchador, n'est en rien un commandement de l'islam. C'est une tradition. Le Coran conseille en effet aux épouses du Prophète de sortir voilées et de ne pas montrer leurs bijoux et leur beauté à des étrangers. L'origine de ce conseil remonte au temps de Mahomet, lorsque les femmes se dénudaient la poitrine pour encourager leurs époux sur les champs de bataille... Par opposition, le voile des femmes du Prophète symbolisait leur comportement modeste.

LA POLYGAMIE

Comme les tribus arabes à cette époque avaient la guerre dans le sang, beaucoup d'hommes périssaient au combat. Dès lors, il fut permis aux hommes survivants d'épouser plusieurs femmes afin d'assurer leur protection et leur descendance. C'est l'origine de la polygamie. Aujourd'hui, les femmes musulmanes militent comme toutes les autres pour que soient reconnus leurs droits dans la société. Naturellement, il reste des irréductibles qui s'accommodent assez bien de cette ancienne pratique de la polygamie. Ce n'est cependant pas une règle absolue de l'islam, même si Mahomet, en son temps, eut lui-même onze femmes! Autrefois, il en était ainsi dans tout l'Orient et dans tout l'Occident. Charlemagne, notre légendaire empereur à la barbe fleurie, avait lui aussi son harem… Bien avant lui, la Bible nous raconte, avec une sérieuse exagération, que le roi Salomon, sage entre tous les sages, eut sept cents épouses de rang princier et trois cents concubines. La polygamie est une affaire d'hommes, pas de religion.

L'AÏD EL-KEBIR

Au dernier mois de l'année du calendrier musulman, le mois du pèlerinage à La Mecque, on célèbre l'Aïd el-Kebir, la fête du Sacrifice. Cette fête, instituée par Mahomet, rappelle l'épreuve que Dieu a fait subir à Abraham, en lui demandant de lui sacrifier son fils aîné, Ismaël. Abraham n'hésita pas un instant et se soumit à la volonté de Dieu. Reconnaissant la confiance et la foi totales d'Abraham, Dieu fit remplacer par l'ange Gabriel Ismaël par un bélier. Cette fête du Sacrifice est célébrée avec éclat à La Mecque, et aussi partout dans le monde. Chaque famille est tenue d'égorger un mouton. C'est un jour de fête et d'abondance, où le partage avec les pauvres est la règle. On oublie ce jour-là tous les malentendus et toutes les rancunes.

UNE AFFAIRE DE FAMILLE

Pour les juifs et les chrétiens qui se réfèrent à la Bible, ce n'est pas Ismaël qui fut offert en sacrifice et épargné, mais son jeune frère, Isaac. Selon la Bible, Ismaël, le fils aîné d'Abraham, devait engendrer douze solides garçons qui donneraient naissance au peuple arabe que Mahomet entreprit en son temps de convertir. Isaac, à son tour, compterait dans sa descendance douze petits-fils, ancêtres des douze tribus d'Israël.

Ainsi, les juifs et les arabes sont nés d'un père unique, Abraham. Les affaires de famille ne sont-elles finalement pas les plus difficiles à régler?

LA RICHESSE D'UNE CIVILISATION

I l est un autre aspect de l'islam que Rachid et Augustin découvriront un jour : la civilisation arabe a beaucoup apporté à l'humanité. Que ce soit dans le domaine des sciences, de l'astronomie, de la médecine, des mathématiques (ne comptez-vous pas avec des chiffres arabes?), de la philosophie, de la poésie, de la littérature ou de la réflexion religieuse.

Bien sûr, à l'aube de l'an 2000, des haines perdurent. Des musulmans se révoltent contre les pays riches à majorité chrétienne qui les ont colonisés et exploités autrefois. Des seigneurs du désert et du pétrole les y encouragent dans une croisade folle et violente contre l'Occident. Mais l'amitié de Rachid et d'Augustin est, avec beaucoup d'autres, une source de découvertes et une petite promesse de paix et d'avenir. La seule qui vaille.

Samedi

Les juifs, frères aînés des chrétiens

LA RELIGION DE DAVID

David vient d'avoir 13 ans. Il a invité Augustin pour son anniversaire. La fête de famille commence ce samedi matin à la synagogue, au milieu de la communauté juive de la ville réunie pour célébrer la majorité religieuse de David. Cette cérémonie s'appelle la bar-mitsva, ce qui signifie que, désormais, le garçon est en âge d'observer les rites du judaïsme. Depuis qu'il est tout petit, il a appris à connaître ces règles au sein de sa famille, ainsi que le dimanche matin, à l'école du rabbin.

Enveloppé dans une grande écharpe blanche bordée d'un liseré de couleur bleue, qui rappelle celle du ciel, la tête coiffée d'une calotte, appelée kippa, en signe de respect de Dieu selon la tradition orientale (en Occident, on se découvre la tête pour les mêmes raisons!), David s'avance au milieu de la communauté et lit à haute voix un passage de la Tora. La Tora est le nom que les juifs donnent aux

cinq premiers livres de la Bible, qui racontent la création du monde et de l'homme, ainsi que l'origine du peuple des Hébreux, depuis Abraham leur ancêtre jusqu'à Moïse, qui organisa la vie des douze tribus et établit leurs lois sous la dictée de Dieu.

David s'arrête un instant sur le texte qu'il vient de lire et, selon l'usage, devant tout le monde, commente ce passage : « Dieu aime l'émigré en lui donnant du pain et un manteau. Vous aimerez l'émigré, car au pays d'Égypte vous étiez des émigrés. » Il rappelle comment, à travers les siècles, les juifs, plusieurs fois chassés du pays de leurs ancêtres, ont été, si on peut dire, les premiers sans-papiers de l'Histoire. Dispersés à travers toute la Terre, ils se sentent toujours proches de ceux qui connaissent le même sort.

À la sortie de l'office, toute la famille et les amis de David se retrouvent à la maison pour le repas de fête. Le héros du jour est comblé de cadeaux.

ABRAHAM

a patrie des juifs, c'est la Bible, celle que vous connaissez sous le nom d'Ancien Testament. Leur histoire commence en Palestine, il y a environ quatre mille ans. À l'appel de Dieu, Abraham vint s'installer dans ce pays, au terme d'un très long voyage avec sa famille et ses troupeaux. Il était parti de la ville d'Ur, dans l'Irak actuel, ce qui représente un parcours d'environ 2 000 km. Comme tous les nouveaux venus, il aura des problèmes de voisinage, mais il sait se battre et sait aussi négocier. Il n'est pas facile de se mettre d'accord sur les terres où peuvent passer les troupeaux, et les puits d'eau, dans ce pays sec, sont âprement défendus. Dieu lui a promis une descendance innombrable et, en effet, bien que très âgé, après avoir eu un fils, Ismaël, d'une de ses servantes, sa femme lui donne un fils : Isaac. Celui-ci aura deux fils, Esaü et Jacob. Après une fameuse brouille, les deux frères se réconcilient.

Jacob, comme son frère, aura douze fils. Ce petit groupe de nomades émigre en Égypte. Ils y sont d'abord bien accueillis, mais, plus tard, après un changement de règne, leurs nombreux descendants sont réduits en esclavage. Dieu, qui ne les a pas oubliés, leur envoie Moïse pour organiser leur libération. Ils quittent l'Égypte et séjournent quarante ans dans le désert où Moïse reçoit, sur le mont Sinaï, la Loi et les commandements qui organisent la vie quotidienne d'Israël.

LA TERRE PROMISE

Enfin, voici la Terre promise, celle de leurs ancêtres. Les Hébreux y pénètrent sous la conduite de Josué, car Moïse est mort. Mais le pays est occupé par une population nombreuse et diverse. Pendant près de deux siècles, des affrontements auront lieu, notamment avec les Philistins, solidement installés sur la côte de la Palestine. Les tribus des Hébreux sont dirigées par des chefs appelés juges, qui les mènent au combat. Finalement, c'est le roi David qui parvient à unir le peuple des Hébreux sous son autorité et à faire de Jérusalem la capitale de son jeune royaume. Il est considéré comme le plus grand roi d'Israël. Son fils, Salomon, réputé pour sa grande sagesse, construira le premier temple de Jérusalem et connaîtra un règne pacifique et prospère. À sa mort, les tribus se divisent et partagent le pays en deux royaumes : Israël au nord, Juda au sud. Cette division et une succession lamentable de rois au nord favorisent les ambitions des redoutables Assyriens, qui envahissent le royaume d'Israël et déportent les habitants qu'ils n'ont pas massacrés.

Le royaume du sud ne vaut guère mieux et c'est le jeune roi de Chaldée, Nabuchodonosor, qui s'empare de Jérusalem et déporte la plupart des habitants à Babylone. Durant cette période désolante, Dieu a envoyé des prophètes qui ont tout tenté pour sauver le peuple du désastre. En vain. Près de soixante-dix ans plus tard, Cyrus, un nouveau conquérant venu de Perse,

autorise les exilés à rentrer à Jérusalem. Sous l'administration perse, les juifs entreprennent la reconstruction matérielle de leur pays et celle morale et religieuse de leur peuple. Mais, deux siècles plus tard, Alexandre le Grand est le nouveau maître du Proche-Orient. Ses généraux se partagent bientôt son empire. Les juifs se révolteront contre eux. Ils souffriront beaucoup avant qu'arrivent les Romains, qui leur imposent la plus cruelle de toutes les dominations. En l'an 70, une nouvelle révolte est noyée dans le sang, et le temple de Jérusalem est incendié. En 135, la ville est rasée. Les juifs sont dispersés dans tout l'Empire romain. La vie des nouvelles communautés qui s'établissent un peu partout s'organise sous la direction des anciens et des sages.

UN PEUPLE ÉPROUVÉ

Depuis deux mille ans, le peuple juif connaît dans le monde des périodes de paix, mais aussi de douloureuses épreuves. La tragédie de la Shoah, c'est-à-dire l'extermination de six millions de juifs par les nazis durant la Seconde Guerre mondiale, en est l'un des exemples les plus terribles. Mais les juifs ont résisté dans leur cœur et maintenu leurs traditions autour de la Bible. Ils transmettent à l'humanité les valeurs de leur patrimoine spirituel : la liberté, l'égalité, la tolérance et la solidarité qu'ils ont apprises dans l'épreuve. Ils ont attendu plus que tout la liberté, et ils ont découvert que Dieu est toujours prêt à la rendre à celui qui se tourne vers lui. Ils savent que ce qui s'est produit un jour peut se produire tous les jours. Les grandes fêtes de l'année juive le leur rappellent.

LE SABBAT

 out comme les musulmans, les juifs ont un calendrier spécifique. Ce sont les rabbins qui fixent les dates des fêtes, comme ils règlent la vie quotidienne de leur communauté.

Le sabbat est la première de toutes les fêtes. Il commence le vendredi soir au coucher du soleil et s'achève le samedi avec l'apparition de la troisième étoile. Le sabbat est la fête de toute la Terre, l'anniversaire du monde. Le septième jour de la semaine, Dieu s'est reposé après avoir achevé sa Création. Ce jour lui est entièrement consacré : les juifs interrompent tout travail et toute tâche matérielle. Écrire, voyager, faire du feu et cuisiner est interdit. C'est pour mieux se libérer des servitudes que nous impose une société matérialiste tout au long de la semaine.

Le sabbat se passe en famille, à la maison. La table est dressée sur une nappe blanche. Une coupe de vin et deux pains sont placés entre deux chandeliers allumés. Le maître de maison bénit la coupe et la fait circuler. Il rompt le pain et le repas commence.

La journée du lendemain est consacrée à la prière à la synagogue, au repos ou à l'étude des textes sacrés et à la conversation entre amis.

ROCH HA-SHANA

L'année juive commence en automne par la fête de Roch ha-Shana, qui est l'occasion de faire le bilan de l'année écoulée. Selon la tradition, chacun est appelé ce jour-là à rendre compte de ses actes, bons et mauvais, dans l'espoir d'être inscrit par Dieu au Livre de la Vie, c'est-à-dire d'être promis à la résurrection après la mort. La synagogue est tendue de voiles blancs. L'office se termine par la sonnerie du choffar, cette corne de bélier qui invite les consciences à se réveiller. La sonnerie s'achève par une longue note claire, symbole d'espérance. Ensuite, on fait un bon repas à la maison.

YOM KIPPOUR

Dix jours plus tard, c'est Yom Kippour, la fête du Grand Pardon. Pendant toute la journée, un jeûne strict est observé. Le temps est consacré à la prière et au retour sur soi-même. À la synagogue, l'office est continu. C'est l'occasion d'une confession collective et d'un appel à la repentance. Les prophètes de la Bible sont lus. Les prières s'achèvent à la tombée de la nuit, saluée par la sonnerie du choffar.

LA FÊTE DES CABANES

Le même mois a lieu la fête des Cabanes. Elle rappelle le temps passé où l'on vivait au-dehors, dans les champs. C'était le temps des récoltes et des vendanges. Les familles se rassemblent et construisent des cabanes de branchages où elles prennent leurs repas. Cette fête rappelle également l'époque durant laquelle les Hébreux vécurent sous des tentes, dans le désert, sous la conduite de Moïse.

HANOUKKA

En décembre a lieu la fête des Lumières, Hanoukka. Pendant une semaine, les juifs allument chaque soir une nouvelle bougie sur un chandelier à huit branches. Les enfants reçoivent des cadeaux. La fête rappelle un miracle qui s'est produit autrefois au temple de Jérusalem. Il avait été dévasté par les Grecs qui y avaient installé une statue de Zeus, au grand désespoir des juifs. Par la suite, quand ces derniers voulurent purifier le Temple, l'huile qui restait dans la lampe suffisait à peine pour l'alimenter une journée alors qu'elle doit brûler en permanence dans le sanctuaire. Or elle brilla pendant huit jours.

POURIM

Pourim est un peu l'équivalent du Mardi gras. Ce jour-là, à la synagogue, les juifs lisent l'histoire d'Esther. Cette reine d'origine juive, mariée à un roi de Perse, obtint de son époux, au péril de sa vie, d'empêcher le massacre des juifs de son pays que le ministre Aman voulait exterminer. Chaque fois que le nom de ce sinistre individu est prononcé, les enfants agitent vigoureusement des crécelles! Le lendemain de cette fête, les enfants se déguisent et frappent aux portes des maisons où les attendent des cadeaux. On fait, ce jour-là, d'excellents petits gâteaux appelés « oreilles d'Aman ».

LA PÂQUE

La Pâque, Pessah, était jadis une fête agricole qui célébrait la première moisson et la fécondité des troupeaux. Elle commémore désormais la libération des Hébreux, réduits en esclavage en Égypte. Ils y étaient astreints à de pénibles travaux et leurs nouveau-nés mâles étaient exterminés. En effet, c'est cette nuit-là, « qui ne ressemble à aucune autre nuit », que Dieu avait choisie et indiquée à Moïse pour fuir l'Égypte. Les Hébreux avaient alors célébré cette antique fête avant de commencer le long voyage qui devait les ramener vers le pays de la liberté et de leurs pères. Autrefois, la Pâque était célébrée à Jérusalem, au cours de l'un des trois grands pèlerinages de l'année. Aujourd'hui, elle se déroule à la maison, en famille, autour d'un repas, le seder, présidé par le maître de maison. Sur la table de fête sont disposés des pains sans levain, rappel du pain de misère mangé par les esclaves. Des herbes amères évoquent l'amertume de ce temps d'épreuve. Une pâte brune faite de pomme râpée, de cannelle, d'amande et de vin doux représente la terre avec laquelle les Hébreux confectionnaient les briques des grands bâtiments qu'ils étaient contraints de bâtir. Un os rôti figure l'agneau mangé debout, en hâte, cette nuit de la libération. Quatre coupes de vin sont bénites et échangées. Les juifs se racontent, comme un authentique souvenir de famille, les événements de ce temps-là, pour en instruire les enfants qui prennent une part active à la fête. Une dernière coupe circule avec ce vœu : « L'an prochain à Jérusalem. » En effet, pendant plusieurs siècles, les juifs eurent très difficilement accès à Jérusalem. Alors, ils émettaient le vœu de s'y retrouver en pèlerinage, pour y fêter tous ensemble, comme autrefois, la Pâque. Une autre coupe est disposée à l'intention du prophète Élie, qui peut revenir à tout instant annoncer la venue du Messie.

Le jour de Pâques, qui ne s'écrit pas exactement de la même façon que la Pâque juive, les chrétiens célèbrent la Résurrection du Christ. Ils la comparent, comme les juifs, leurs frères aînés dans la foi, à cette nuit où ceux-ci furent délivrés de l'esclavage. Les chrétiens méditent cette nuit-là le récit de la fuite d'Égypte.

LA PENTECÔTE

inquante jours plus tard intervient la fête des moissons, devenue la Pentecôte, du mot grec qui signifie cinquante. Aujourd'hui, les juifs décorent la synagogue de fleurs et de verdure pour l'office. À la maison, ils respectent une tradition gastronomique de pâtisserie et de miel afin de célébrer le souvenir de la Loi que Moïse a reçue de Dieu et donnée au peuple juif, et qui est douce comme le lait et le miel.

ÊTRE JUIF, C'EST QUOI ?

algré toutes les fêtes que comporte le calendrier juif, nombreux sont ceux qui pensent que la religion de Moïse est dure, sévère. Ils ne comprennent pas les innombrables préceptes et interdits qu'elle impose. Ils peuvent être également choqués par les habitudes vestimentaires et alimentaires des juifs. Celles-ci sont dues au fait que de nombreux juifs sont originaires d'Europe centrale ou d'Afrique du Nord et qu'ils ont conservé des coutumes locales anciennes qui leur rappellent leurs racines. Et s'il est tout à fait exact que la religion juive ne dispose pas moins de 613 commandements à observer, est-ce vraiment cela l'important ?

David sait qu'être juif c'est vivre en présence de Dieu, de son lever à son coucher. C'est se tourner vers lui chaque jour. C'est vivre sa foi autant avec son corps qu'avec son cœur. Par ses habitudes alimentaires, qu'il s'efforce d'adapter aux prescriptions de la Bible, il ne cherche absolument pas à être différent des autres, mais à maîtriser son corps, à respecter un certain équilibre, à perpétuer une tradition qui se transmet de génération en génération. Car le corps de l'homme, son cœur en particulier, est la demeure de Dieu. Cette conviction, David la partage avec Augustin et Rachid, même s'ils ne pratiquent pas la même religion.

David sait que l'essentiel de la Loi se résume à cet unique commandement : « Tu aimeras le Seigneur ton Dieu de tout ton être, de tout ton cœur, et ton prochain comme toi-même. »

Pour David, tous les événements survenus à son peuple n'appartiennent pas au passé, ils sont actuels, quotidiens, présents. Il connaît bien cette histoire très ancienne que racontent les rabbins. Un savant juif demanda un jour au prophète Élie de lui indiquer où il pourrait trouver le Messie. Élie lui suggère alors de se rendre dans les faubourgs de Rome, là où vivent les sans-abri et les laissés-pour-compte. Le savant s'y rend et le trouve en effet parmi eux. Il l'interroge sur le temps de sa venue et celui-ci lui répond : « Aujourd'hui même si tu entends ma voix. » C'est que le Messie est présent partout où l'amour est partagé, et David le sait bien.

Dimanche

Le monde du silence

UN SIÈCLE DE COMMUNICATION?

Augustin rêve d'avoir un téléphone portable. Il ne cesse d'expliquer à son père que c'est indispensable. Quand on voit dans la rue le nombre de gens qui ne quittent pas leur appareil, lui répond son père, on se demande si toutes ces communications sont bien nécessaires. Il y a tant de personnes qui se téléphonent pour un rien, pour rien! En revanche, quand Augustin a évoqué Internet, son père n'a pas hésité un instant à prendre un abonnement...

Nous sommes au siècle de la communication qui rapproche les hommes entre eux. Cependant, on a souvent l'impression que tout le monde parle à la fois et que nous vivons dans un brouhaha. Mais si communiquer avec les machines devient de plus en plus facile, communiquer avec les hommes n'est pas toujours évident. D'abord, il faut le vouloir. Lors de son séjour à Paris, Olivier a été frappé par l'air triste et fermé des voyageurs tassés dans le métro à 18 heures. Mais qu'il se produise un incident sur le parcours et, soudain, tout le monde se parle! Il y a en effet des situations où jaillit une communication spontanée. Rappelez-vous les grands moments d'amitié que vous avez vécus avec des inconnus pendant la Coupe du monde de football 1998!

ET LA COMMUNION ALORS ?

 a foi aide David, Augustin et Rachid à découvrir, chacun dans sa communauté et dans sa famille, que personne n'existe sans quelqu'un d'autre. Elle nous aide à dépasser l'égoïsme, à aller au-delà de la communication banale et sans chaleur que nous pratiquons tous les jours. Elle nous invite à rechercher la communion avec les hommes et les femmes proches de nous, mais aussi avec tous ceux que les moyens de communication nous font connaître.

Qu'est-ce que la communion? Tout simplement le partage quotidien et l'amour du prochain sous toutes les formes que notre cœur peut trouver.

DES EXPERTS EN COMMUNION

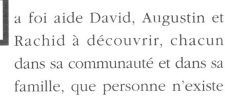 es spécialistes de la communication, nous le devenons tous un peu. Mais peut-on trouver des spécialistes de la communion? Il existe, parmi les chrétiens, des hommes et des femmes dont la communion est le métier, dont c'est la seule activité. Ce sont les religieux et les religieuses, les moines par exemple.

Vous connaissez tous les moines par le biais de la publicité, mais que font-ils donc dans leurs monastères? La plupart du temps, nous ne pouvons pas les approcher, car ils ne reçoivent pratiquement jamais de visite de l'extérieur. Comment peuvent-ils nous apprendre à communier en s'isolant et en restant cachés?

QUI SONT-ILS ? epuis le IIIe siècle de notre ère, il s'est trouvé parmi les chrétiens des hommes et des femmes qui se sont retirés de la société et se sont installés dans le désert ou dans un lieu calme, seuls ou en communauté, afin de consacrer leur vie à prier Dieu pour tous les hommes. Ce qui est déjà une forme de communion, silencieuse certes, mais qui dans notre monde de bruit revêt aujourd'hui une grande importance.

Dans vos livres d'Histoire, vous avez croisé des moines accomplissant diverses tâches au fil des siècles : défricher les forêts d'Europe, bâtir des églises et des abbayes, recopier et décorer de vieux manuscrits, chanter plusieurs fois par jour leur office. Il y eut même des moines guerriers, tels les Templiers à l'époque des croisades.

LES CHARTREUX

 l existe aujourd'hui, à travers le monde, de nombreuses familles de religieux et de moines, hommes et femmes. Les Chartreux sont les plus secrets d'entre eux. Quel est le sens de leur vie? Cet ordre religieux a été fondé en 1084 par saint Bruno, un professeur d'université célèbre à son époque, qui préféra, avec quelques compagnons, se retirer dans le désert de la Chartreuse plutôt que devenir archevêque.

Neuf siècles plus tard, en ce même lieu, près de Grenoble, solidement plantée sur le massif montagneux de la Grande-Chartreuse, l'abbaye vit à l'écart du monde. Elle ne reçoit aucun touriste, aucun visiteur. On ne peut y pénétrer que dans des circonstances tout à fait exceptionnelles, comme ce fut le cas pour moi à l'occasion de la préparation d'une émission de télévision, qui fut, bien entendu, réalisée en dehors du monastère où les caméras n'entrent pas! La porte s'ouvre donc et nous marchons, avec le prieur de l'abbaye qui commente la visite, vers le grand cloître. Celui-ci est pourvu d'une cinquantaine de portes à côté desquelles se trouve une sorte de guichet : c'est par cet endroit que le moine reçoit ses repas. Le chartreux dispose d'une petite maison individuelle de deux étages, qui ne communique qu'avec le ciel – il n'y a aucun vis-à-vis –, et d'un petit jardin. Au rez-de-chaussée, un local pour ranger le bois et un atelier de travaux manuels. À l'étage, deux petites pièces dont une chambre avec une alcôve et un lit de planches. Le moine dort à demi habillé sous une couverture et de gros draps. Il dispose d'un oratoire pour prier, d'une table et d'une chaise, et d'un petit cabinet de travail pour lire et écrire. C'est dans cet endroit qu'il va passer toute sa vie. Dans la solitude totale et le silence absolu. Comment ces moines, qui vivent si différemment de nous, peuvent-ils nous comprendre et prier pour nous? Ce n'est pas facile en effet. C'est l'œuvre de toute leur vie. Ils croient à la générosité, à la bonté et à l'amour de Dieu qui donne sans retour. Mais ils ont choisi d'établir un échange dans le silence, un dialogue ininterrompu avec Dieu, pour demander et remercier.

COMMENT VIVENT-ILS ?

Comment vit un chartreux? Sa journée se divise en deux parties : la nuit et le jour. Couché vers 19 heures, le moine se lève à 23 heures, récite un office d'une demi-heure, puis se rend à l'église de l'abbaye pour chanter les matines qui durent deux heures et demie. Il retourne alors dans sa cellule et dort jusqu'à 6 h 45. Le matin, après la messe, il travaille ou étudie. À midi, il prend son repas seul. Il est strictement végétarien. De septembre à Pâques, il ne prendra qu'un repas par jour. Le soir, du pain et de l'eau. L'après-midi, le travail ou la méditation sont seulement interrompus par le chant des vêpres à l'église. Ensuite, le moine retourne dans sa cellule pour un dîner en solitaire et pour un dernier office avant de s'endormir. La discipline du moine est très rude. Du corps, tout d'abord : les rythmes de sommeil, l'isolement, le régime alimentaire on ne peut plus strict. Mais pourquoi le moine choisit-il cette vie?

L'APPEL DU CHRIST

n jour, le moine a entendu un appel du Christ dans la prière et il a décidé de tout quitter pour ne vivre que pour Lui, en s'efforçant de l'imiter. S'il fait pénitence, s'il renonce à la vie de tout le monde, c'est pour servir d'intermédiaire entre Dieu et les hommes et le prier à tout instant de nous délivrer du mal.

Pourtant, le moine chante! Il médite sans cesse la Bible. Il est heureux de la vie qu'il a choisie. Son apprentissage est rude : on ne devient chartreux qu'après sept ans et demi de préparation. Parfois, le lundi après-midi, certaines personnes ont l'occasion de croiser ces moines lorsqu'ils font, par petits groupes, une promenade dans la montagne. Lors de cette sortie, ils sont autorisés à parler, et vous pouvez les entendre rire et discuter de tout, comme tout le monde!

Pour ceux qui se veulent des « serviteurs de l'inutile », ce sont des vies bien remplies, rudes, inaccessibles à la plupart d'entre nous. Ces moines nous apprennent que la communion la plus parfaite se vit mieux dans le silence et la prière. Notre monde a autant besoin de silence que de communion et les religions non chrétiennes, comme le bouddhisme, ont également des religieux qui tendent, à leur manière, vers le même but.

Les moines nous montrent la limite qui existe entre le ciel et la Terre et ce qui unit le ciel et la Terre.

L'AMOUR

 lors, croire, c'est quoi? Olivier, Rachid et David n'ont pas la même histoire, les mêmes traditions ni les mêmes pratiques religieuses, mais ils partagent l'essentiel : l'amour. Ils apprennent à se connaître. Un sage disait : « Je te convertirai à ta propre religion. »

La foi n'est, en effet, ni plus ni moins qu'un appel à la conversion du cœur. Elle ne vit en nous que si nous acceptons de rompre avec la banalité du quotidien, avec les petites et les grandes peurs, avec la vie au jour le jour. Elle ne nous habite que si nous cherchons à regarder plus haut que le ras du bitume, à écouter ce qu'à chaque moment un moine peut entendre dans son silence total. Et si l'incompréhension demeure entre les croyants des différentes religions, l'amitié que se portent David, Rachid et Olivier n'est-elle pas le gage le plus sûr pour un avenir meilleur? Car « c'est la fièvre de la jeunesse qui maintient le reste du monde à la température normale. Quand la jeunesse se refroidit, le reste du monde claque des dents » (François Mauriac).

Bonne chance!

Conception graphique et réalisation : Rampazzo & Associés.
ISBN : 2-7324-2513-3
Dépôt légal : avril 1999
Imprimé en Espagne par Fournier Artes Graficas.